JN121377

れんにょさま

絵・水野二郎
文・佐賀枝弘子

ひがしほんがんじ

あるお正月のことです
蓮如さまのいらっしゃる山科の本願寺は
お年始の人で　にぎわっています。
勧修寺村の道徳も、蓮如さまにお目にかかって
「あけまして　おめでとうございます。」
と、申しあげますと、蓮如さまは　いきなり
「道徳はいくつになったかな
道徳よ、お念仏を申しなさいよ。」
と、おっしゃいました。

〝蓮如さま〟とは、これほど熱心に
親鸞聖人の念仏の教えを
ひとりでも多くの人に伝えようと
全力をつくされた　お方です。

蓮如さまは
今から五百七十年ほど前
京都・東山大谷の本願寺で
お生まれになりました。
おさないころのお名前を
〝ほてい丸〟
とおっしゃいました。
そのころ　本願寺は、お堂も小さく
おまいりする人もすくなく
とても
さびしいお寺だった　ということです。

六才のときの　ある冬の朝
お母さまは蓮如さまの手を　しっかりとにぎって　おっしゃいました。
「ほてい丸よ。
母は　わけがあって　遠くへゆかなければなりません。
あなたは　大きくなったら、み仏の教えを　よく聞き
親鸞さまのお念仏を　正しく人びとに　伝えて
りっぱな本願寺に　してください。
どこにいても　母は、そのことを　ねがっておりますよ。」
お母さまは　そのまま門を出て、寒い風の中を
どこへともなく　行っておしまいになりました。
蓮如さまの心の中に
やさしかったお母さまのお顔と
「お念仏を伝えなさい」ということばが
くっきりと　焼きつきました。

なつかしいお母さまのことを　思いだされるたびに
蓮如さまは
「仏さまの教えとは　何だろう。
お念仏を伝えるとは　どういうことだろう。」
と、お考えになりました。

そして　お父さまに教えていただいたり、本を読んだりして
一心に勉強されました。
親鸞聖人のお書きになった『教行信証』というご本などは
表紙がやぶれるほど　読まれたということです。

そのころ　本願寺はまずしくて、着るものも　食べるものも
とてもそまつなものでしたが、蓮如さまは
「どこかで　お母さまが見ていてくださる。
しっかり勉強して、お母さまのおっしゃったように
きっと本願寺をりっぱにし、お母さまをさがしだそう。」
と、はげまれるのでした。

お父さま（存如上人）のなくなられたあと
四十三才で　蓮如さまは
本願寺　第八代住職となられました。

そのころ世の中は
日照りがつづいて　お米がぜんぜんとれなかったり
悪い病気がはやったり
いくさがあって　家を焼かれたりで
人びとのくらしは
とても苦しかったのです。

そういう人たちにとって
「阿弥陀さまを信じて
念仏を申せば　だれでもすくわれる」
という教えは、とてもありがたいものでした。

蓮如さまのお話を聞きに
本願寺へ　だんだん人が
多く集まってくるようになりました。

蓮如さまのお話を聞きに
本願寺へたくさんの人たちが
集まるようになると
おもしろくないのは　比叡山の山法師たちです。
昔からの教えを守って
修行している山法師たちは
「念仏をとなえただけで
すくわれるなんてうそだ。」
「念仏をやめろ　やめろ…。」
と、東山大谷の本願寺へおしよせ
お堂をこわしてしまいました。
蓮如さまは、親鸞聖人のお像をだいて
大津の三井寺へ　にげられました。

びわ湖のほとりの堅田には
念仏をよろこぶ人たちが
たくさんいました。
蓮如さまは
この堅田門徒に守られて
しばらくすごされましたが
比叡山の山法師たちは
この堅田へもせめてきて
安心できません。

そのころ、京都でも
「応仁の乱」といわれる
大きないくさがおこり
京の町は
ほとんど焼け野が原になってしまいました。
蓮如さまは　堅田をあとに
北陸へ向かわれました。

蓮如さまは、越前（福井県）の吉崎に
御坊を開かれました。
北陸では　そのころ
「お寺へお金や品物を　たくさんあげないと
極楽（仏さまの国）へゆけない。」
と、思っている人が　多かったのです。
蓮如さまは
「だいじなのは、正しい念仏の教えを聞いて
ほんとうの信心を　いただくことです。」
と、お説きになりました。
多くの人が
「これこそ　わたしたちのすくわれる教えにちがいない。」
と、うなずいて、吉崎へ集まってきました。
吉崎は大きな町になり
人びとを泊めるための宿が
百軒も二百軒もできたと　いわれています。

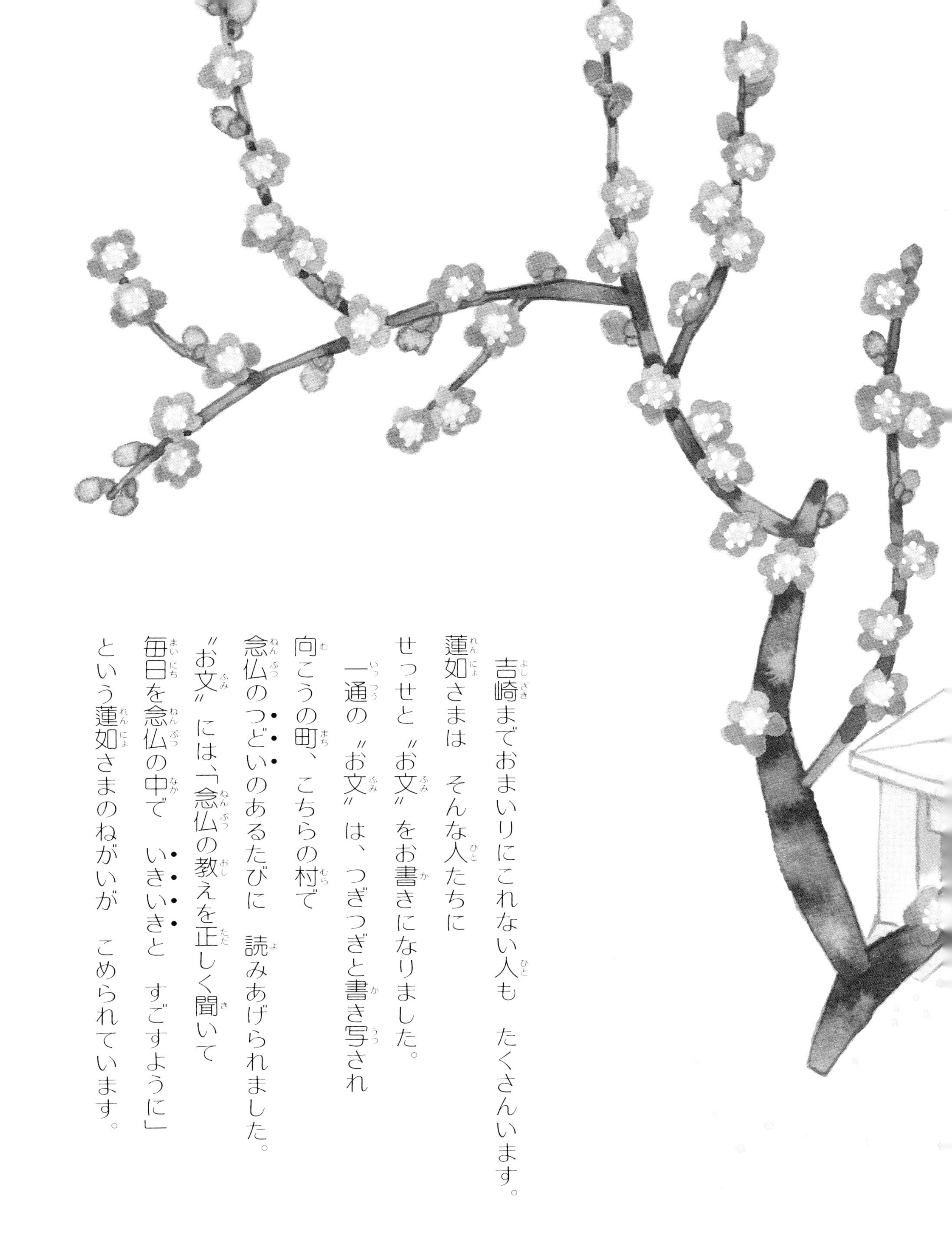

吉崎までおまいりにこれない人も　たくさんいます。
蓮如さまは　そんな人たちに
せっせと〝お文〟をお書きになりました。
一通の〝お文〟は、つぎつぎと書き写され
向こうの町、こちらの村で
念仏のつどいのあるたびに　読みあげられました。
〝お文〟には、「念仏の教えを正しく聞いて
毎日を念仏の中で　いきいきと　すごすように」
という蓮如さまのねがいが　こめられています。

こうして北陸では
蓮如さまの教えを聞く人が
どんどんふえていきましたが　中には
「念仏だけが正しくて
ほかの教えは　みなうそだ。」
などと、ひどいことをいったり
武士といっしょになって
いくさを始める人たちがでてきたりして
蓮如さまはとても心を　いためられました。
そのため、たびたび　きまりをつくって
（〝掟のお文〟といわれます）
○ほかの宗教の教えを
悪く　いってはいけない。
○人びとの和を第一とし
仏さまの教えは
心の内に深く　おさめておきなさい。
○おおぜい集まったところで
お酒を飲んだり
さわいだりしてはいけない。
などと注意されました。

吉崎で五年すごされたあと
蓮如さまは、河内（大阪府）の出口村へうつられ
ここから、近くの町や村に
念仏をお広めになりました。

そのうち、みんなの力で　本願寺を建てよう
ということになり、やがて京都・山科に
大きな本願寺ができあがりました。

ご開山・親鸞聖人のお像をまつる御影堂
本堂、寝殿、大門、広びろとした庭
そして何よりもうれしいのは
いつも遠くから　近くから、門徒の人たちがたずねてきて
にぎやかなことでした。

蓮如さまの小さかったとき、本願寺は
「だれもおまいりしない　さびしいお寺。」
といわれたのに、今は
「まるで仏さまの　お国のよう。」
と、みんながおどろくほど
りっぱになったのです。

あたらしい御影堂で　蓮如さまは
親鸞聖人の報恩講をおつとめになりました。
全国から集まった門徒たちで
お堂がいっぱいになるのを
ごらんになった蓮如さまは
どんなにうれしく思われたことでしょう。

「この山科で
ようやく落ち着いて、御影堂を建てることができ
七日間の報恩講もこんなに
盛大につとめることができた。
ありがたいことだ
めでたいことだ。」

と、たいへんおよろこびになりました。

このころ、お堂の内陣のおかざりや
朝夕のおつとめの方法なども　決まりました。

蓮如さまはある日
ろうかに紙きれが落ちていたのをごらんになって
「仏さまからのいただきものを
むだにしてはいけないよ。」
と、だいじそうに、ひろわれました。

本願寺が、かがやく仏さまの国のように
りっぱになったからといって
蓮如さまはけっして　ぜいたくは　なさいませんでした。
とてもまずしかった少年時代
夜、油もなくて月の光で本を読まれたこともあるのです。
勉強するための紙一枚が買えなかったこともありました。

蓮如さまは
「着るものも　食べるものも、一口の水でも
わたくしのもの、というものはない。
ぜんぶ仏さまと親鸞さまからの賜りものなのだ。」
といつもおっしゃって
ものをたいせつに　たいせつに　なさいました。

蓮如さまは、だれにたいしても
えらぶることのないお方でした。
「ご門徒はみんな
ご開山・親鸞さまの　だいじなお客さまなのだよ。」
　と、おっしゃって
寒いときにはお酒をあつくして出し
暑い夏には冷たいものを出すなど
心をこめて　もてなされました。

「仏さまの教えを聞くときは
あすはないのだと思いなさい。
きょうという日も二度とは　ないのです。
仏法のことは急いで　急いで。」
　と、おっしゃって、どんなにいそがしい時でも
たずねてくる人たちを　待たせないように
次から次へとお会いになり
ひざつき合わせて　仏さまのお話をなさるので
本願寺はいつも
おまいりの人が　たえませんでした。

越中（富山県）赤尾の道宗は
蓮如さまが井波の御坊で年を越された大雪の元日に
七里（二十八㌔）の道を　雪をものともせず
おあさじ（朝のおつとめ）にまいった人です。

山科の本願寺へも
一年に二度も三度も　おまいりするので
「遠くてたいへんだろう。
そんなにたびたび　まいらなくてもいいのだよ。」
と、蓮如さまがおっしゃると
「はい、そういたします。」
と、答えるのですが
またすぐおまいりにくるのでした。

蓮如さまをしたう　こんな人たちが
近くにも　遠くにも
ずいぶんたくさんになりました。
よその宗教の　えらいお坊さんまでが
「わたくしも　お弟子にしてください。」
と、おねがいにくることも　たびたびありました。

八十三才のとき、蓮如さまは
大阪の石山に御坊を建立されました。
のちの石山本願寺です。
お体が弱られたので、遠くへおでかけにならず
〝お文〟をたくさんお書きになりました。
親鸞さまの教えどおり
お念仏によって　みんながすくわれることを
ひたすらねがって、書きしるされる〝お文〟でした。
八十五才の二月、親鸞さまにお別れがしたいと
山科本願寺へ帰られました。
御影堂へおまいりのあと
なつかしいけしきを
いくども　ごらんになりました。
そして三月、第九代実如上人をはじめ
五人の男のお子さまを集めて
「みな正しい信心に生きなさい。
兄弟なかよくして念仏の教えを正しく伝え
本願寺をもり立てていくように。」
と、ご遺言なさいました。

蓮如さまは
「わたしの一生は、ご門徒にささげた一生だった。」
と、おっしゃいました。

六才のとき
どこかへ行っておしまいになった　お母さまとは
とうとう　お会いになることは　ありませんでしたが
あの時のお母さまのおことばを
蓮如さまは一日として
おわすれになったことはなかったのです。
「ほてい丸よ
親鸞さまのお念仏を　正しく人びとに伝えて
りっぱな本願寺にしてくださいね。」

蓮如さまは
お母さまのそのおことばどおりのご一生を
おすごしになりました。
とうとい八十五年のご一生でした。

読者の皆様へ

このたびは、東本願寺発行の絵本『れんにょさま』をお買い求めくださいましてありがとうございました。

最近は子どもの数が少なくなり、それだけ十分に親の目が子どもにゆき届いているはずですが、事はすべて盾の両面で、いいことばかりでもないようです。兄弟姉妹の少ないことが、かえって子どもの学校でのあり方等に問題を投げかけているようです。

このようなことを思いあわせる時、蓮如上人が六歳で、実母と生別しておられることは、後に大きな仕事をされる上人が、世の親として私共に子を育てる上で大きなヒントを与えていてくださるのではないでしょうか。

それは、親は子に何ができるのかということです。

一体、私たち親は、子がどうなればよいと願っているのでしょうか。いろいろの願いをもち、子の成長とともにその願いの内容も変わっていくものだと思われます。

しかし、ひるがえって考えてみますと、変わっていくということは、親自身どうなりたいか、はっきりしていないからではないでしょうか。

上人は、それを「信をとることだ」と、いい切っておられます。

親はいうまでもなく、子によって親になっていくのでしょう。そのことに気づいたところから、本当に実っていく生活が始まることでしょう。そして、本当の、自分の願いをはっきりとさせ、実っていく生活を始めていただきたいと願っております。

解説

蓮如上人は、一四一五年、京都東山の麓・大谷にあった本願寺で第七代存如上人の長男として生まれ、八十五歳で亡くなられました。誕生された頃の本願寺は小さなお堂があるだけで、その面影は「人跡たえて、参詣の人一人もみえさせたまわず、さびさびとすみておわします」と書かれているほどでした。

上人は六歳の時、母と生別しておられ、この生別にあたって母は「聖人の御一流を再興したまへ」といい残されたと伝えられています。上人は幼少時から恵まれた環境ではなかったのでした。こうした時ですから上人は、月の光や黒木の灯火をたよりに、ほとんど独学で親鸞聖人の書かれた『教行信証』等を学ばれました。

蓮如上人四十三歳の時、父存如上人が亡くなられ、第八代住職となられました。さらに八年後、大谷本願寺は比叡山からの来襲を受けねばなりませんでした。つまり時代は、公家たちの支配がゆきとどかなくなり荘園制度が崩壊していく時であり、民衆に依拠して布教を続けようとした蓮如上人は、一有力荘園領主としての比叡山にとって、同じ近江を教線とすることもあり、存在をおびやかす相手となりつつあったのでした。これが比叡山の本願寺破却の原因であったといわれています。

しかし、時代は移り変わっており、農民は荘園制度に変わる新しい制度の指導者を求めていたといえるのです。こうした農民の要求にも応えたのが蓮如上人の布教の内容であったというべきでしょう。大谷の本願寺が破却された後、布教の拠点を定めるべく各地を転々とし、一四七一年、越前・吉崎に蓮如上人は坊舎を建てられました。これが、現在の吉崎別院であります。この吉崎時代、仏法を説くために忘れることのできない事業をされました。

一つは、蓮如上人といえば『御文』といわれるほどでありますが、この『御文』を布教の一方法として意識的に書き始められたのは、この時代からといわれています。『御文』は、有名な「白骨の御文」にみられるごとく、民衆の宗教心を開き、広く人々に読まれ続けていきました。

二つには、『正信偈』『三帖和讃』を儀式の中心として勤めるようにし、また、これらを広く人々が求められるように出版したことであります。これも、蓮如上人の布教の工夫の一つでありました。

三つには〝寄合〟〝談合〟をすすめられたということです。これは、〝講〟という集会の中での座談会を進められたということで、『御一代記聞書』に「仏法は、讃嘆・談合にきわまる。能く能く讃嘆すべき由仰せられ候う」とあります。

農民たちは、〝講〟〝寄合〟の中で、自分たちの信を確かめていったのです。恐らく、この〝講〟こそは、農民たちが初めてもった組織だったと思われます。そのため〝講〟はまたたく間に北陸の農民の間に広がっていきました。

蓮如上人の教えは、農民に生きる自信を与え、下剋上の世の中に、自分たちの教えを求めていた農民の要求と一致したのです。各地から農民が押し寄せ、吉崎には多数の家屋が立ち並びました。このため、蓮如上人の意を超えた民衆の集合は、十分な運営を困難にするほどの早さで膨張していったものと思われます。蓮如上人は、いまや、その集合体それ自身のもつ、政治的影響力を考慮せざるを得なくなりました。

当時は、いわゆる下剋上の世の中で、一四二八年の正長土一揆から一四八〇年頃の大和の土一揆まで、ひんぱんに一揆（百姓衆の反乱）が起こっています。鎌倉時代についで、支配者が力を失い、民衆が力を得た時であったといわれています。

やがて、歴史は織田信長、豊臣秀吉、そして徳川家康による全国統一という時代を迎えようとします。安定の前の混乱といえましょうか。一面では秩序を重んじる封建の世が完成する、つかの間の民衆の時代であったといえます。つまり、荘園制度に立脚する公家、武家の二元政治が崩壊し、新しい大名政治が開幕する時代だったのです。

蓮如上人はこのような時代のうねりを感じ、歴史の表面に本願寺の出るのを極力抑えるために、自身は、吉崎を退去し、大阪へ布教の拠点を移されました。一四七五年、上人六十一歳の時のことでした。大阪へもどられてから、蓮如上人は布教をすすめ、京都の山科に六十五歳の時から本願寺再建に着手し、四年余りの年月をかけ、御影堂、阿弥陀堂を建立されました。

さらに一四九六年、大阪に坊舎を建立し、教化にあたられました。今の大阪城の前身であり、石山御坊といわれています。

こうして是非とも親鸞聖人の御法流を興したいと決意した上人は、今や「一宗の繁昌と申すは、人の多くあつまり、威の大なる事にてはなく候う。一人なりとも、人の、信を取るが、一宗の繁昌に候う」といわねばならないほどの盛況の中で、自身も「末代の不思議」というより他なかった山科の本願寺で、一四九九年三月二十五日、八十五歳の生涯を閉じられました。

東本願寺出版

れんにょさま

絵・水野二郎（みずのじろう）

文・佐賀枝弘子（さがえひろこ）

1983（昭和58）年４月10日　初版発行

2017（平成29）年３月１日　14刷発行

発行者／但馬　弘

編集発行／東本願寺出版

（真宗大谷派宗務所出版部）

〒600-8505 京都市下京区烏丸通七条上る

電話075-371-9189

印　刷／株式会社アイワット

落丁・乱丁本はいつでもおとりかえいたします。

ISBN978-4-8341-0545-2 C8723